Ole Könnecke
Anton et les filles

ISBN 978-2-211-08698-1

Première édition dans la collection *lutin poche* : mai 2007

© 2005, l'école des loisirs, Paris, pour l'édition en langue française

© 2004, Carl Hanser Verlag, Munich et Vienne

Titre de l'édition originale : « Anton und die Mädchen », Carl Hanser Verlag, Munich et Vienne

Loi numéro 49 956 du 16 juillet 1949 sur les publications

destinées à la jeunesse : mars 2005

Dépôt légal : octobre 2013

Imprimé en France par I.M.E. à Baume-les-Dames

Ole Könnecke

Anton et les filles

lutin poche de l'école des loisirs
11, rue de Sèvres, Paris 6e

Voilà Anton.

Anton est formidable.

Anton a un seau.

Anton a une pelle.

Anton a une supergrosse voiture.

Mais les filles ne regardent pas.

Anton sait sauter très haut.

Anton est fort.

Anton sait glisser
du haut du toboggan
sur le ventre,
la tête en avant.

Et les yeux fermés.

**Mais les filles
ne regardent toujours pas.**

Anton est énervé.

Anton construit quelque chose.

Anton construit une maison.

**Anton construit la maison
la plus haute du monde.**

La maison s'écroule.

Anton pleure.

Maintenant,
les filles regardent.

**Les filles donnent un gâteau
à Anton.**

**Anton peut venir jouer
avec les filles.**

Anton est content.

Mais… voilà Lukas.